PATATE POURRIE

Le légume le plus mignon du monde!

BEN CLANTON

TEXTE FRANÇAIS D'ISABELLE FORTIN

■ SCHOLASTIC

Pour Theo, le plus mignon du monde!

Catalogage avant publication de Bibliothèque et Archives Canada

Clanton, Ben, 1988-
[Rot, the cutest in the world! Français]
Patate pourrie : le légume le plus mignon du monde! / Ben Clanton,
auteur et illustrateur ; texte français d'Isabelle Fortin.

Traduction de: Rot, the cutest in the world!
ISBN 978-1-4431-7303-2 (couverture souple)

I. Titre. II. Titre: Rot, the cutest in the world! Français.

PZ23.C572Pat 2018   j813'.6   C2018-902122-5

Édition publiée par les Éditions Scholastic, 604, rue King Ouest, Toronto (Ontario) M5V 1E1

5 4 3 2 1   Imprimé au Canada 119   18 19 20 21 22

Les illustrations de ce livre ont été réalisées à l'aquarelle, au crayon de couleur,
au tampon patate et à l'aide de collage numérique.

Le texte a été composé avec la police de caractères Typo American Com Regular.

Conception graphique : Ben Clanton

MIXTE
Papier issu de
sources responsables
FSC® C103113
FSC
www.fsc.org

Voici Patate
Pourrie. C'est une
pomme de terre
mutante.

Comme la plupart des pommes de terre mutantes, Patate Pourrie adore...

LA BOUE

LES ALIMENTS LOUCHES

JOUER AUX DAMES

et TOUTES SORTES de JEUX et de CONCOURS.

Alors, quand Patate Pourrie
remarque un panneau sur lequel
est écrit « CONCOURS
DU PLUS MIGNON DU MONDE », il ne
peut s'empêcher de s'inscrire.

Patate Pourrie est convaincu de gagner. Il en est si sûr qu'il entonne même un chant de victoire.

Soudain, Patate Pourrie aperçoit
les autres concurrents.

Il y a un
petit-petit lapin tout doux
aux **oreilles duveteuses**
comme un nuage,

un mini-mini
chaton tout
chou aux
moustaches
soyeuses,

ET une jolie-jolie méduse
toute rose et *enjouée*.

Les autres concurrents pensent
que Patate Pourrie n'a aucune
chance de remporter le concours.

Mes PAUVRES YEUX
si délicats!
Il est HIDEUX!

Patate Pourrie se dit qu'il pourrait les manger un par un. S'il était le seul concurrent, il gagnerait assurément.

Mais ce ne serait pas très gentil
de sa part. Et il en aurait sans doute
une indigestion.

Peut-être que Patate Pourrie
serait plus mignon avec de LONGUES
OREILLES comme le lapin.

Et s'il avait des moustaches
comme le chaton?

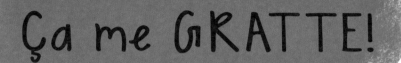

Et s'il était rose et enjoué
comme la méduse?

Mais rien de tout cela n'aide Patate Pourrie à se sentir plus mignon.

Patate Pourrie décide alors
de rester lui-même.

Patate Pourrie entre en scène et démontre toute l'étendue de son talent.

Il arbore son PLUS GRAND sourire!

Il montre son meilleur « profil ».

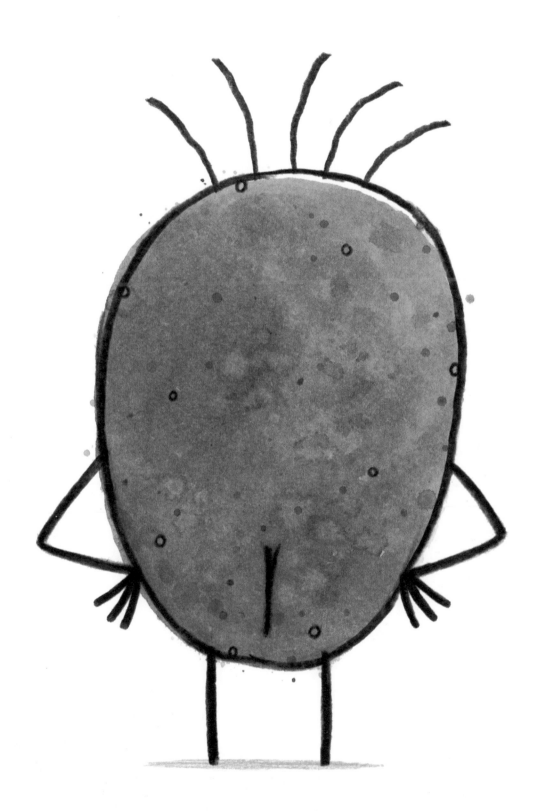

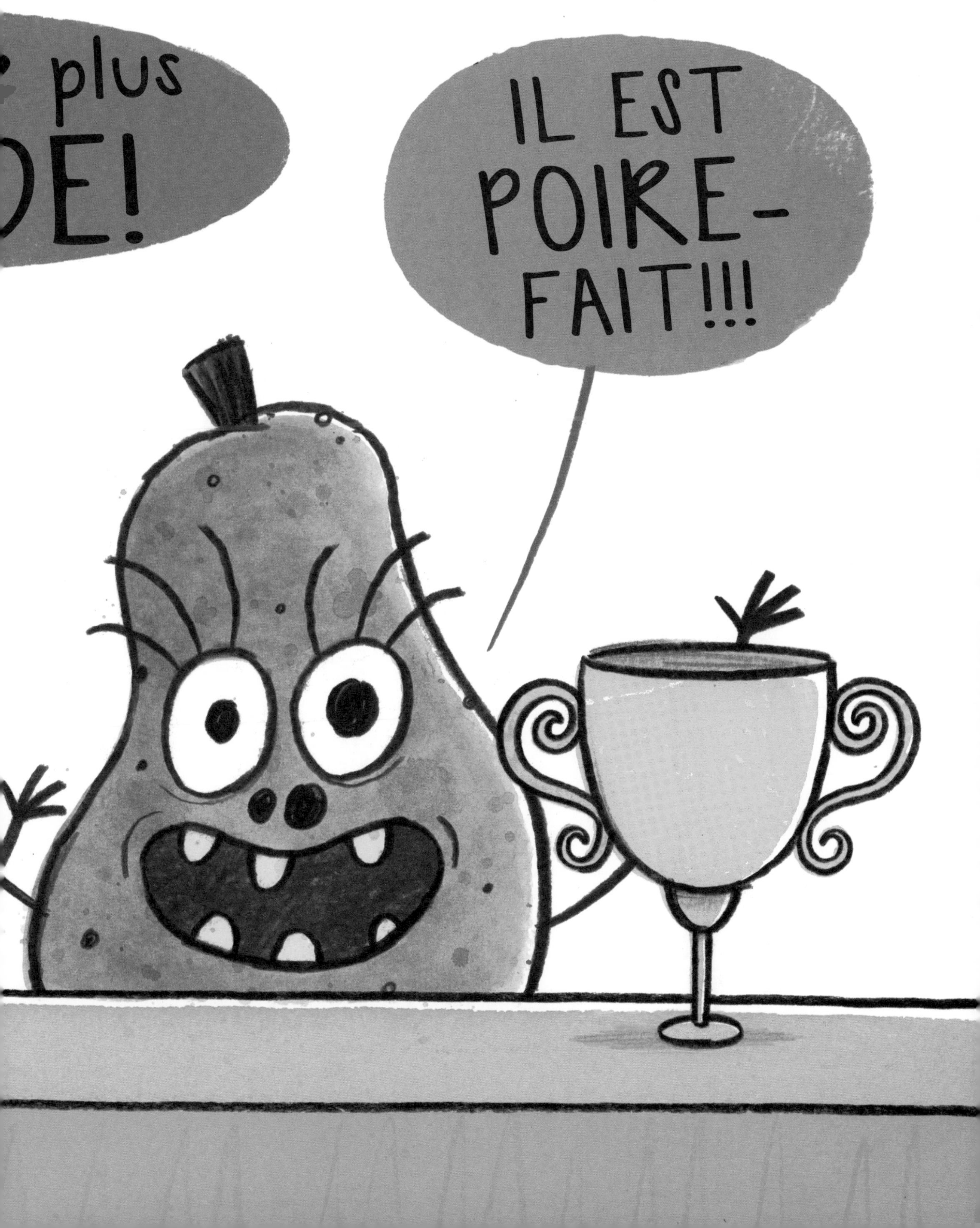
plus
DE!
IL EST POIRE-FAIT!!!

Patate Pourrie remporte
un BEAU GROS TROPHÉE.

Un trophée si étincelant qu'il peut y apercevoir son reflet. Il se dit qu'il est maintenant...

Fin!